KU-082-771

La bande à Tristan

Marie-Aude Murail

La bande à Tristan

Illustrations de Gabriel Gay

Mouche
l'école des loisirs
11, rue de Sèvres, Paris 6e

Du même auteur à *l'école des loisirs*

Collection MOUCHE

22 !
Le changelin
Le Chien des Mers
Le hollandais sans peine
Mon bébé à 210 francs
Patte-Blanche
Peau-de-Rousse
Qui a peur de Madame Lacriz ?
Souï-Manga (en collaboration avec Elvire Murail)

Loi n° 49.956 du 16 juillet 1949 sur les publications
destinées à la jeunesse : mars 2010
Dépôt légal : mai 2011
Imprimé en France par l'imprimerie Pollina à Luçon - n°L57431

ISBN 978-2-211-20026-4

Mon cher Paul Danne,
Je te donne ces histoires d'école
que j'ai écrites pour mon fils Benjamin
quand lui aussi était petit garçon.
Chacun son tour d'apprendre la vie
dans la cour de récréation.

Chapitre premier
La liste de guerre

Dans mon école, il y a trois bandes, la bande à Jujube, la bande à Patrick et la bande à Olivier. Moi, je suis dans aucune bande.

À la cantine, on nomme des chefs de tables et des sous-chefs. À ma table, c'est Nathalie qui est la chef. On dit que c'est la chéfesse pour se moquer. Le sous-chef, c'est Didier. Moi, je n'ai été sous-chef qu'une fois quand Nathalie a eu mal au ventre et qu'elle n'est pas venue à l'école. Nathalie, c'est ma voisine de classe. Le maître, monsieur Languepin, met un fort et un faible ensemble, ou un fort et un moyen. Nathalie, c'est une forte et moi, je suis un moyen. Pour les multiplications, de temps en temps, Nathalie me montre la réponse. Mais pour la dictée, elle ne veut pas que je regarde sur elle et elle met son bras pour cacher son cahier.

Olivier est de ma classe. Il est en CE2, mais il a fait une bande avec les grands du CM2. Le maître dit qu'Olivier est un faible. Peut-être c'est un faible en classe, mais pas dans la cour de récré ! C'est le plus fort de toute l'école et tout le monde en a peur, sauf Jujube. Mais Jujube fait du judo, le mercredi. Il est ceinture noire, je crois. Ou rouge. Enfin, c'est une ceinture très forte.

C'est drôle : je n'arrête pas de parler de fort et de faible. Je vais essayer de changer.

Olivier, c'est un garçon très méchant. Il s'attaque aux filles et aux petits. Moi, je suis petit, mais de taille. Chaque semaine, il trouve quelque chose pour nous embêter. Par exemple, il bloque la porte des W.-C., et si on veut sortir, il faut promettre qu'on va donner quelque chose, comme un taille-crayon en forme de télévision. Moi, maintenant, je ne vais plus aux W.-C. Je me retiens. Mais ça fait mal au ventre.

– Il faut le dénoncer à la maîtresse ! m'a dit Andrès.

Andrès, c'est un petit du CP. Il est courageux pour un petit. Je lui ai répondu :

– Si on le dénonce, Olivier va nous mettre sur sa liste de guerre.

La liste de guerre d'Olivier, c'est un petit carnet rouge qu'il a piqué à Didier. Olivier dit que Didier lui a donné. Mais je sais que ce n'est pas vrai.

Sur le carnet, Olivier écrit les noms de ceux qu'il va attaquer avec sa bande. Mais il fait plein de fautes. Par exemple, au lieu d'écrire «Jujube», il met «Jujupe», parce qu'il mélange le *p* et le *b*. Ça nous a fait bien rire, le coup de «Jujupe».

Nathalie, ma voisine de classe, elle est embêtante comme fille. Elle invente tout le temps des histoires. Elle m'a déjà dit deux fois que j'étais marqué sur la liste de guerre et ce n'était pas vrai. Hier, elle est encore venue me le dire.

– Si, c'est vrai, a ajouté Didier. Moi aussi, j'ai vu ton nom sur la liste.

Alors, là, j'ai commencé à avoir peur. Mais je voulais être vraiment sûr.

– Tu n'as qu'à remonter en classe pendant la récré, m'a dit Karine. Tu feras semblant que tu as oublié ton pull sur ta chaise et tu fouilleras dans le sac d'Olivier.

Karine, c'est ma sœur. Elle n'est pas bête pour une fille. Elle est au CP avec Andrès.

Ce matin, j'ai laissé mon pull sur ma chaise et je suis descendu dans la cour de récré. La maîtresse de garde m'a aperçu :

– Dis donc, toi, tu n'as pas de tricot ?

J'ai dit « Oh ! » en mettant la main sur la bouche, pour faire celui qui a oublié.

– Remonte vite, m'a dit la maîtresse.

J'ai grimpé l'escalier à toute vitesse, j'ai couru dans le couloir. À travers la vitre, j'ai vu que la classe était déserte. C'est drôle, la classe, quand il n'y a plus personne. On reconnaît les places. Là, c'est Didier avec son autocollant de Franck Ribéry sur la trousse. Là, c'est Nathalie avec son cahier ouvert plein de « 10 » et de « Très bien ». Et là, c'est Olivier avec le taille-crayon en forme de télévision.

Je me suis approché de sa place, sans faire de bruit, comme s'il était encore dans la classe. J'ai ouvert son cartable. Quel bazar! Il n'a pas de trousse et tous ses feutres se promènent sans capuchon. Ses livres ne sont pas couverts et son cahier de brouillon est tout corné. Monsieur Languepin dit qu'Olivier est un sans-soin et que les cochons sont ses cousins.

En fouillant, j'ai aperçu le carnet rouge. J'ai regardé les noms. Sur la dernière ligne, Olivier a écrit : *drisdan*, Olivier mélange aussi les *d* et les *t*. Tristan, c'est mon nom.

Chapitre deux
Moi et Karine

Cet après-midi, j'ai fait plein de fautes à mon autodictée. C'est cette histoire de liste de guerre qui me tourne dans la tête. Je ne sais pas quoi faire.

Si j'étais dans la bande à Jujube, je pourrais me faire protéger. C'est ce qu'il y a de bien avec les bandes. Quand on t'attaque, ceux de ta bande te défendent.

Mais c'est difficile d'entrer dans la bande à Jujube, à cause des trois épreuves. C'est Didier qui m'a expliqué, l'an dernier :

– Jujube te donne trois épreuves à faire. C'est écrit sur un papier. Jean-François m'a fait voir son papier pour la première épreuve. C'était : « Mettre une fausse crotte en plastique sur la chaise de la maîtresse. »

Jean-François n'a jamais passé la première épreuve. Marc a dû réussir les trois épreuves parce qu'il a la carte secrète de la bande. Elle est super, sa carte !

Carte secrète 009 Nom de code : Dazul Camembert Paris, 3 octobre Cette carte s'autodétruira dans 100 ans.

Au dos de la carte, il y a une tête de mort. Je voudrais bien faire partie de la bande à Jujube, mais je n'aurai jamais le courage de passer la première épreuve.

Il est très sévère, monsieur Languepin. J'ai toujours eu les maîtres sévères de l'école. À chaque fois, dans l'autre classe, ils avaient la maîtresse gentille. Mon papa m'a dit :

– C'est la faute à pas de chance.

C'est sa phrase quand j'ai un malheur. Quand j'étais petit, je croyais que Pas-de-Chance, c'était le voisin du dessous, celui à qui on ne dit pas bonjour parce qu'on est fâchés avec. Pour rire, ma sœur et moi,

on l'appelle toujours Pas-de-Chance et on met toutes les publicités qu'on reçoit dans sa boîte aux lettres. Même, une fois, on a mis des papiers gras !

On s'amuse bien, moi et Karine. Elle n'est pas très jolie, ma sœur. Elle a un drôle de nez, mais ce n'est pas de sa faute.

J'aime mieux Nathalie comme visage. Mais comme caractère, je préfère ma sœur. Elle n'aime pas la bagarre. Alors, quand elle m'énerve, je lui dis : « Tu arrêtes ou je te tape ! »

Elle s'arrête tout de suite. Heureusement, parce que je n'aime pas me battre non plus.

Moi, j'aime bien jouer avec les filles et avec les petits du CP comme Andrès. Andrès est amoureux de ma sœur. Il est fou ! Moi, je ne suis pas amoureux.

Olivier, c'est le fiancé de Nathalie. C'est lui qui le dit mais je crois qu'il se vante. En fait, moi, je suis amoureux de quelqu'un, mais je ne dis pas qui c'est.

Ce soir, à la maison, Karine a bien vu que j'avais des ennuis. Elle m'a dit :

– C'est à cause de ton amoureuse ?

– J'en ai pas.

– Si ! Tu l'as écrit dans l'escalier, à côté des poubelles.

– Non!

– Ça commence par un *n*. Comme dans Na… Na…

– Tu fiches le camp ou je te tape!

Là, je crois que je l'aurais vraiment tapée. En plus, ce n'est pas vrai. Je n'ai rien écrit du tout.

Après le dîner, comme c'est mardi, on a eu le droit de regarder la télé. On voulait voir *Les Incorruptibles*. C'est une histoire qui se passe aux États-Unis. Il y a un chef de la police, Eliot Ness, qui chasse tout le temps les bandits. Il a un revolver sous la veste. Je vais essayer de m'en fabriquer un comme ça, avec une ceinture.

– Toujours de la violence, a dit Maman. Est-ce qu'ils ont besoin de montrer toute cette violence? Ça donne des idées aux jeunes…

Moi, j'ai pensé: « des idées de liste de guerre », et ça m'a un peu gâché ma soirée.

– C'est quoi, incorruptible? a demandé Karine.

Elle demande toujours des trucs ! C'est pour ça qu'elle est intelligente.

– Incorruptible, a dit mon papa, c'est quelqu'un qu'on ne peut pas corrompre.

Mon papa n'est pas très fort pour répondre aux questions. Maman dit qu'il n'écoute pas quand on lui parle.

Mercredi, j'ai trouvé comment mettre mon revolver sous le bras. J'ai un revolver super avec un silencieux. Au lieu de faire « pan ! » tout haut, on fait « paw ! » tout bas. C'est bien parce que, quand on tue les gens, ils ne s'en aperçoivent pas. Demain, je vais jouer à Eliot Ness et ses hommes avec Andrès. On tuera Olivier de loin. On fera « paw, paw ! » très, très bas.

Chapitre trois
Il faut que je me venge !

Au début de la récré, je me suis bien amusé avec Karine et Andrès. On se cachait derrière les arbres et on tirait sur Olivier et sa bande. Paw ! Paw ! Après, on se racontait qu'on était traqués par Frank Nitti et sa bande, comme Eliot Ness dans le feuilleton de mardi. J'ai dit à Andrès :

– C'est marrant, les bandits, ils font des bandes comme nous.

– C'est pour ça qu'on les appelle des bandits, a dit Karine. Bandit, ça vient de bande.

– Ah bon ?! s'est écrié Andrès.

Il croit tout ce que Karine raconte. On est bête quand on est amoureux.

Au bout d'un moment, on en a eu assez de jouer aux *Incorruptibles*. Alors, on a regardé notre collection de timbres. Moi et Andrès, on fait une collection à deux. Un soir, c'est moi qui remporte les timbres à la maison et, le soir suivant, c'est Andrès. Le plus beau timbre qu'on a, c'est un qui vient de Chine et que m'a envoyé ma marraine. Il y a un panda dessus. Il vaut au moins mille euros.

– Tu le sors qu'on regarde ? m'a demandé Andrès.

– Il est au fond de l'enveloppe !

Je faisais tomber des timbres par terre. Ça m'énervait. Enfin je l'ai attrapé. Comme j'étais très occupé, je n'ai pas remarqué qu'Olivier s'approchait de nous. Tout à coup, j'ai senti une main qui me tordait le poignet, et hop ! Olivier m'a pris le timbre.

– Rends-moi le timbre ! Rends-moi-le ! Voleur !

Andrès a commencé à lui donner des

coups de pied et Karine des coups de poing. Mais deux garçons de la bande à Olivier sont arrivés en renfort. Je pleurais.

– Je vais le dire ! Je vais le dire !

Olivier m'a menacé :

– Si tu dis quelque chose, je te casse la tête, je te crève les yeux !

On s'est sauvés. On a même perdu des timbres en courant.

– Il faut le dénoncer ! a dit Andrès.

– C'est ça et il me crèvera les yeux. Merci, Andrès !

– On se vengera quand même, a dit Karine.

Mais moi, je ne vois pas comment.

Sur le chemin du retour, Karine m'a demandé :

– Pourquoi tu rentrerais pas dans la bande à Jujube ?

– Ça va pas, ta tête ? Et les épreuves, c'est toi qui les passeras ?

– Si j'étais un garçon, je les passerais.

J'ai haussé les épaules. Il n'y a pas de filles dans les bandes, sauf Nathalie qui est la sœur de Jujube.

– Tu n'as qu'à lui demander à ta chérie, a dit Karine, elle te fera rentrer dans la bande de son frère.

– C'est pas ma chérie. C'est toi qui as un chéri et c'est Andrès.

– Non, ce n'est pas vrai. Menteur !

– Toi-même, menteuse !

On s'est disputés jusqu'à la maison et ça nous a fait oublier notre chagrin.

Mais le soir, en rangeant les timbres, j'ai repensé au panda et je me suis senti en colère. Olivier, je le tuerai !

Au dîner, Karine a demandé à mon papa :

– Hein, bandit, ça vient du mot bande ?

– Je ne sais pas, ma puce, il faudrait regarder dans le dico.

Maman est allée chercher le dictionnaire et elle a dit :

– Non, bandit, ça vient du mot italien *bandito* qui veut dire banni.

– C'est quoi, banni ? a demandé Karine.

– Banni, heu… c'est quelqu'un qui est puni de bannissement.

Il n'est vraiment pas fort pour les questions, mon papa !

Moi, le lendemain, j'étais décidé. J'ai dit à ma sœur :

– Je vais demander à entrer dans la bande à Jujube.

– Super !

Évidemment, elle, elle ne risque rien.

– Tu vas VRAIMENT passer les épreuves ?! a crié Andrès qui crie tout le temps.

J'ai pris un air comme Eliot Ness quand Frank Nitti le tient au bout de son revolver :

– Et alors, tu me prends pour un lâche ?

– Ben dis donc ! J'aurais jamais cru ça !

– Jamais cru quoi ?

– Que tu es courageux !

Moi non plus, je ne l'aurais jamais cru.

Après la cantine, je suis allé montrer à Karine et à Andrès le papier de la première épreuve. C'est celui qu'avait eu Jean-François. Je l'ai lu à voix haute parce que Karine et Andrès commencent juste à apprendre à lire.

– C'est écrit : « Mettre une fausse crotte en plastique sur la chaise de la maîtresse. »

– La maîtresse ?! a crié Andrès.

– Jujube m'a expliqué qu'il faut remplacer par maître. Mais il ne veut pas refaire le papier.

– Tu vas VRAIMENT mettre une fausse crotte ?!

– Oui, mais d'abord, il faut l'acheter.

Chapitre quatre
La première épreuve

La boutique de farces et attrapes s'appelle *Au crocodile bleu*. Elle est super ! En vitrine, on voit des masques du Président et puis de Frankenstein. Il y a des fausses barbes, des faux nez, des faux…

– Oh, là, regarde ! a dit Andrès, en me donnant un coup de coude.

Il me montrait des faux… je n'ose pas dire quoi.

– Et alors ? a dit Karine, j'en aurai moi, quand je serai grande. Des vrais seins comme Maman.

Andrès a ouvert de grands yeux. Je me suis énervé :

– Bon, on rentre ou quoi ?

La dame du *Crocodile bleu* est très gentille. Comme elle dit, elle connaît bien les enfants. Elle répète tout le temps :

– Ne touche pas avec les mains. Tu me dis ce que tu veux.

Nous, on voulait une crotte en plastique, des petits pétards et de la fausse encre. On croit qu'elle tache et elle ne tache pas.

– Et une autre crotte, a dit ma sœur en sortant son argent.

– Pour quoi faire ?

– J'ai une idée.

On est ressortis du *Crocodile bleu* et on a partagé. Andrès aime surtout les pétards. J'ai encore demandé à Karine :

– Qu'est-ce que tu vas faire avec l'autre crotte ?

– C'est mon idée. Tu verras.

– Non. Tu dis quoi ou je te tape.

– C'est pour mettre dans la boîte aux lettres de Pas-de-Chance. Comme ça, il avance la main pour prendre son courrier, et qu'est-ce qu'il attrape ?

On a bien ri en revenant à la maison. On imitait le voisin qui avance la main et qui attrape la crotte. Andrès faisait trop bien sa tête.

Moi et Karine, on est allés jusqu'aux boîtes aux lettres dans le couloir. On riait et on avait peur en même temps.

– Attention, la concierge !

Elle est passée devant nous.

– Bonjour, les enfants !

– Bonjour, madame !

Elle est rentrée dans sa loge. J'ai chuchoté :

– Bon, allez, vas-y !

Karine a sorti la crotte de sa poche. Mais elle riait tellement qu'elle l'a fait tomber derrière les poubelles.

– Dépêche-toi, j'ai envie de faire pipi !

Alors, vite, Karine l'a glissée dans la boîte, et il était temps parce que quelqu'un descendait l'escalier. Justement,

c'était Pas-de-Chance. Il nous a regardés. J'étais tellement affolé que j'ai dit :

– Bonjour, monsieur !

Alors que d'habitude, on ne lui dit pas bonjour parce qu'on est fâchés avec. Il a souri et il m'a répondu :

– Bonjour, petit !

On a monté l'escalier quatre à quatre et j'ai couru jusqu'aux cabinets. Mais c'était un peu trop tard.

J'ai mal dormi pendant la nuit. Si mon maître, c'était Yvette, la maîtresse des CP, je n'aurais pas peur de lui faire une farce. Mais monsieur Languepin est trop sévère ! Il frotte la tête des élèves avec son poing. Il appelle ça « passer un savon ». À moi, il ne l'a jamais fait.

C'est Maman qui a ouvert la porte de l'appartement en premier, ce matin. Elle était en retard pour son travail comme presque tous les jours. Sur le palier, elle a poussé un cri. On a couru, moi et Karine, pour voir ce qui se passait.

– Ah ! J'ai mis le pied dans la m…. mais, c'est une fausse !

Maman s'est baissée. C'était notre crotte en plastique. Karine m'a dit à l'oreille :

– C'est de la magie.

Moi, je crois plutôt que c'est le voisin.

Pour mettre la crotte sur la chaise de monsieur Languepin, j'avais mon plan. En fait, c'était le même que celui de Karine.

J'ai fait semblant d'oublier mon blouson et je suis remonté en classe.

Je n'ai jamais passé une récréation aussi affreuse que celle-là. J'aurais voulu retourner dans la classe pour tout enlever. Andrès s'est écrié :

– Qu'est-ce qu'il va être en colère, le maître !

J'aurais voulu que la récréation ne finisse plus. J'avais mal au ventre. Puis la cloche a sonné. En rang, les CE2 ! On est retournés à notre place. Monsieur Languepin a dit comme d'habitude :

– Un peu de calme, maintenant. La récréation est terminée.

Il s'est approché de son bureau. J'ai eu envie de crier : « non ! » Je me suis mordu les lèvres. Le maître a tiré sa chaise pour s'asseoir. Il a fait des grands, grands yeux comme Andrès, puis il les a plissés, puis il les a rouverts. Il nous a regardés et il a dit :

– Qu'est-ce que c'est que ça ?

Il a mis la chaise devant tout le monde et il a répété très fort :

– Ça ?

Il y a des enfants qui ont ri. Mais le maître a froncé les sourcils et il y a eu un grand silence dans la classe. Un silence de mort, comme on dit.

– Qui a mis ça ?

J'ai senti tous mes cheveux qui se redressaient. Nathalie m'a regardé. Elle savait que c'était moi. D'autres enfants se tournaient vers moi. Nathalie leur avait sûrement dit. Elle est dégoûtante, cette fille. Je ne l'aime plus du tout.

– J'attends, a dit le maître. Ou le coupable se dénonce ou je punis toute la classe.

Alors, je me suis levé. J'avais les jambes toutes faibles et ma bouche tremblait. Je ne pouvais pas l'empêcher de trembler. J'ai dit :

– C'est moi.

Le maître a eu l'air très étonné :

– Tristan ! Mais où allons-nous si les bons élèves s'y mettent ?

Il m'a enlevé quatre points de conduite et il m'a donné toute une page du livre de lecture à recopier pour demain. J'ai un peu pleuré mais j'étais content de ne plus avoir mal dans le ventre. Ce qui m'a consolé aussi, c'est que le maître a dit que j'étais un bon élève.

J'ai commencé ma copie à la récré de la cantine en m'appuyant sur un banc. Nathalie s'est accroupie près de moi. Elle m'a dit :

– Viens. On va se cacher. Je vais t'en écrire la moitié.

Je ne savais pas qu'elle était si gentille. Maintenant, c'est ma fiancée.

Chapitre cinq
J'ai tous les malheurs

– Alors, c'est quoi, la deuxième épreuve? m'a demandé Karine.

J'ai déplié le papier que m'avait donné Jujube et j'ai lu: «rapporter au chef cinquante capsules de bière».

– C'est pour sa collection, a dit Andrès.

– Cinquante capsules, a répété ma sœur, mais on en a pour dix ans!

– Des fois, on en trouve par terre.

– Moi, mon père, il en boit quand il fait chaud, a dit Andrès.

Mais cinquante capsules! Ça faisait vraiment beaucoup. En revenant à la maison, on regardait le trottoir tout le temps.

– Oh, là, une! a crié ma sœur.

Mais c'était une capsule de limonade.

– Ça ne fait rien, je la garde quand même, a dit Karine, je vais en faire la collection.

Des capsules de bière, on en a trouvé zéro. J'étais découragé. Près des boîtes aux lettres, comme je regardais encore par terre, je me suis cogné dans le voisin.

– Oh, pardon, m'sieur !

– Pas de mal…

Ma sœur m'a donné un coup dans les côtes :

– Regarde !

Elle me montrait le panier de Pas-de-Chance qui revenait des courses. Il venait d'acheter six bouteilles de bière dans un carton.

– Vous faites collection des capsules de bière ? lui a demandé Karine.

Je voulais la faire taire. Je la tirais par la manche.

– Des capsules ? a répondu Pas-de-Chance. Non, moi je fais collection de couvercles de boîtes de camembert.

– Ah, bon, a dit ma sœur, alors, on pourra faire des échanges.

– Volontiers, a dit le voisin. Surtout si vous trouvez un couvercle du Ti-Ki-Pu, le camembert japonais. C'est le seul qui me manque.

Il a pris son courrier et il a commencé à monter l'escalier. Mais ma sœur lui a couru après :

– M'sieur, est-ce que… vous pourriez nous garder vos capsules de bière ?

– Avec plaisir… Est-ce que je vous

garde vos crottes en plastique et vos papiers gras aussi ?

– Oh, c'était pour rire, a dit Karine. On savait pas.

– Vous ne saviez pas quoi ?

– Que vous êtes tellement gentil !

Je n'aurais jamais cru ma sœur capable de dire des trucs pareils ! Et puis elle regardait Pas-de-Chance un peu en dessous, en faisant un sourire. Oh, là, là ! J'espère qu'Andrès n'est pas jaloux.

– Vous en êtes très pressés de vos capsules ? a demandé le voisin.

– Oh non, a dit Karine, si on les a pour demain, c'est bien.

Le voisin a fait la grimace :

– Six bières en vingt-quatre heures ! Vous n'avez pas peur que ça me rende malade ?

– Oui, mais nous, il nous en faut cinquante !

– Cinquante capsules ?

Karine faisait oui avec la tête.

– Je ne vais pas boire cinquante bières, a dit Pas-de-Chance, ma maman me gronderait.

Moi, je commençais à rire. Il est plutôt drôle, Pas-de-Chance. C'est dommage qu'on soit fâchés avec.

Le lendemain matin, Maman a ouvert la porte la première pour partir à son travail et elle a encore poussé un cri :

– Mais qu'est-ce que c'est ?

Sur le paillasson, il y avait six capsules de bière. Heureusement, Maman était en retard pour son travail et elle ne nous a pas demandé d'explication. J'ai vite ramassé les capsules.

– Plus que quarante-quatre à trouver, a dit Karine.

Quand on est arrivés à l'école, Andrès nous attendait. Il avait la tête de quelqu'un qui va annoncer une mauvaise nouvelle.

– Tu en as? lui a demandé Karine.

Andrès a secoué la tête:

– Non, ce n'est pas ça. C'est une histoire terrible! Didier m'a dit que Jean-François lui a dit que Marc lui avait dit que les épreuves, ça ne compte pas pour entrer dans la bande à Jujube.

– Quoi?

– C'est juste pour émili… énimi…

– Éliminer! a crié Karine.

– Oui, c'est ça, ils ne veulent personne d'autre dans leur bande.

– Mais si je réussis?

Andrès a encore secoué la tête:

– La troisième épreuve, c'est: «voler la banque». Tu crois que tu peux réussir?

Alors, ça, c'est dégoûtant. Je me suis fait punir pour rien. J'ai 6 de conduite pour rien. Et j'ai cherché des capsules pour rien. Mais je m'en fiche. Je vais en faire la collection. Et je me vengerai de Jujube. Et Nathalie, ce n'est plus ma fiancée. Je suis sûr que c'est leur complice, comme Lily Dallas dans *Les Incorruptibles*. J'ai dit à Andrès :

– On va les tuer tous. J'ai apporté mon revolver avec le silencieux.

À la récré de dix heures, j'ai descendu mon revolver sous mon blouson et on a joué à tirer sur Jujube et sur Nathalie. Paw ! Paw ! Andrès a voulu que je lui prête mon revolver, et moi, comme une andouille, je lui ai prêté. Et alors, voilà…

En courant d'un arbre à un autre, Andrès est tombé à cause de son lacet qui est toujours défait. Et alors, voilà… mon revolver est cassé.

Je ne pouvais plus m'arrêter de pleurer. J'étais en colère contre Andrès. Contre Jujube, contre Nathalie, contre Olivier. Contre tout le monde ! Je voulais jeter une bombe atomique sur l'école.

Le soir, dans ma chambre, en rangeant mes timbres, j'ai repensé au panda et je me suis dit que j'avais vraiment tous les malheurs. TOUS les malheurs. Je me suis remis à pleurer à cause du panda et à cause du revolver. Et Nathalie n'est plus ma fiancée.

Je n'ai pas entendu Maman qui rentrait dans ma chambre. J'ai sursauté quand elle m'a dit tout doucement près de l'oreille :

– Qu'est-ce qu'il a, mon bébé ?

C'est vrai que, des fois, à l'intérieur, on se sent comme un bébé qui pleure.

– Tu as des ennuis, mon bébé ? Tu ne veux pas m'en parler ?

J'ai voulu commencer mais je n'ai pas pu. C'est trop difficile à expliquer.

– Toi, Maman, tu ne me racontes pas tes histoires de bureau ?

– Non, c'est mes affaires, et puis tu ne comprendrais pas.

– Eh bien, moi, c'est pareil, tu ne comprendrais pas.

J'ai regardé Maman. J'ai eu peur qu'elle se fâche. Mais non. Ses yeux sont devenus tout brillants. Elle m'a dit :

– Tu as raison, mon grand.

Chapitre six
La bande à Tristan

Je vais faire une bande avec Andrès et Karine. Pour commencer. Ce sera la bande à Tristan. Andrès et Karine sont d'accord. On s'est donné des grades. Moi, je suis commandant, Andrès est général et Karine est colonel. On a décidé aussi qu'on avait un secret à défendre mais on ne sait pas encore lequel.

Karine a dit qu'elle allait faire de la publicité pour notre bande, qu'elle raconterait qu'on a un grade et un secret et la carte du plan.

– Quel plan ?

– Le plan secret. Tout doit être secret. On sera une bande secrète.

Déjà, à la récré de la cantine, Karine avait engagé des enfants dans notre bande. Bon, d'accord, c'est des petits, et il y a des filles. Mais nous, justement, on va faire une bande pas comme les autres.

Après l'école, Didier, qui est de ma classe, a couru dans la rue pour nous rejoindre, moi et Karine. Il m'a demandé :

– C'est vrai que vous faites une bande secrète ?

– Oui, avec un mot de passe.

– Je pourrais y aller dans votre bande ?

J'ai regardé Karine. Ça m'ennuyait un peu parce que Didier est plus grand que moi. Il va vouloir être le chef, surtout qu'il dit toujours qu'il a un blouson américain, des tee-shirts américains, des jeux vidéo américains. En fait, il est casse-pied.

– Hein, Tristan je peux venir ? Si tu veux, je t'invite chez moi et je te montrerai mon téléphone portable que j'ai pas le droit d'apporter à l'école.

– C'est pas intéressant, les téléphones portables.

– Oui, mais le mien, c'est le dernier modèle, il fait GPS et télévision.

Là, quand même, j'hésitais.

– Bon, tu viens, a dit Karine, mais tu seras caporal. C'est en dessous de moi.

Ce n'est pas le genre qui se laisse faire, ma sœur.

Notre bande, ça marche très, très bien. On est quatorze et maintenant on dit qu'on est complets. Il y a beaucoup de colonels et de généraux. Seulement deux soldats. Mais tant pis. On a dessiné le plan secret. On l'a appelé le labyrinthe de la mort et je le garde sur moi, même dans mon lit, sous mon pyjama. On n'a toujours pas trouvé notre secret mais ça ne fait rien. Tout le monde croit qu'on en a un. Jean-François a même dit qu'il savait ce que c'était. Quelle andouille, celui-là !

Mercredi, je suis allé chez Didier et je ne suis pas près d'y retourner. Il a une PSP, une Nintendo DS, une GameCube, une Wii, une PS2, une PS3, une Xbox 360. Ce n'est pas une chambre, c'est un magasin. À chaque fois que j'admirais quelque chose, il me disait :

– Attends, j'ai un autre truc, c'est le dernier modèle.

Mais on n'arrivait pas à jouer : on sortait les consoles et on les posait par terre. Pour finir, on a regardé des dessins animés. Didier a la télévision dans sa chambre, le dernier modèle, évidemment.

C'est à ce moment-là que Caroline est entrée dans la chambre. C'est la petite sœur de Didier. Elle est encore à la maternelle. Elle est très jolie, ça, je ne dis pas. Mais elle a une voix horrible. Elle crie sans arrêt et, quand elle ne crie pas, elle pleure. Elle nous a éteint la télé. Elle a marché sur les jeux qui étaient par terre. Elle m'a dit que j'avais une grosse figure. Elle est complètement folle ! Moi, une petite sœur comme ça, je la jette dans les cabinets et je tire la chasse d'eau. On l'a mise à la porte et elle a dit qu'elle allait le dire. Didier a poussé un gros soupir. Il m'a fait :

– Tu as de la chance avec ta sœur, ce n'est pas le genre embêtant.

– Oui, c'est le dernier modèle.

Le soir, j'ai décrit la chambre de Didier à Karine. Elle m'a dit :

– On se croirait dans un conte de fées.

Elle voulait savoir les jouets qu'avait Caroline, mais moi, je n'ai pas regardé. Forcément, les jouets de fille, ça ne m'intéresse pas. Après, on s'est dit ce qu'on demanderait pour Noël. Moi, je veux un autre revolver avec un silencieux et un vélocross parce que le mien n'est pas cross. Karine, elle veut... tiens, j'ai oublié.

Noël, maintenant, c'est dans un mois. Quand on revient de l'école, le soir, il fait presque nuit et on a le nez gelé. Mais on s'arrête quand même pour regarder les jouets dans les vitrines. Andrès, il veut tout!

Au *Crocodile bleu*, il y a un sapin qui clignote et un Père Noël en automate qui fait bonjour avec la main. On reste longtemps à regarder et après, on court pour se réchauffer.

L'hiver, c'est triste. Mais Noël, c'est comme une grande lumière dans une forêt toute noire. Je vais faire un poème pour Noël. Karine dit que je suis très fort pour la poésie. Je ne sais pas pourquoi elle dit ça. Je n'en ai jamais écrit.

Chapitre sept
Ma poésie de Noël

Maman ne veut pas m'acheter un revolver avec silencieux pour Noël. Elle m'a dit :

– Ah non, pas d'armes pour Noël ! Noël, c'est la fête de la paix...

Ah, là, là, les mamans, je te jure ! Ça ne comprend rien. Moi, j'aime mieux mon papa.

Justement, il y a un revolver avec silencieux dans la vitrine du *Crocodile bleu*. Il est encore mieux que celui qu'Andrès m'a cassé. Mais il est cher. Il vaut vingt euros. On l'a essayé. La dame du *Crocodile bleu* a bien voulu. Il est lourd dans la main.

J'en ai tellement envie que j'ai rêvé que je me l'achetais, la nuit dernière.

Je vais garder mon argent de poche. Comme ça, je me l'achèterai tout seul et je le cacherai sous mon lit.

À l'école, on a fait une rédaction sur Noël. Monsieur Languepin a écrit au tableau :

Voici Noël ! Décrivez vos impressions.

On a tous fait des yeux ronds. Qu'est-ce que c'est, des impressions ?

– Vous n'avez qu'à parler du sapin, des vitrines, a expliqué monsieur Languepin. Décrivez les jouets dont vous rêvez, montrez comment Noël...

On n'écoutait déjà plus. On se racontait ce qu'on allait demander et on avait plein d'idées.

– Un peu de silence, a dit notre maître, on n'écrit pas avec sa langue.

Moi, j'ai décidé que j'allais faire ma poésie de Noël. Mais j'avais le trac.

Peut-être que je ne sais pas du tout faire de la poésie ? Peut-être que tout le monde va se moquer de moi ?

J'ai écrit ça :

Noël, c'est comme une grande lumière dans une forêt très noire.

Noël, c'est comme un oiseau qui chante après la pluie.

Noël, c'est comme les guerres quand elles s'arrêtent.

Pourquoi ce n'est pas Noël toute la vie ?

Ça m'a donné du mal, ma poésie. J'avais les joues rouges de chaleur. Mais je trouvais que c'était beau ce que j'avais écrit. À la récré, tout le monde se demandait :

– Et toi, qu'est-ce que tu as mis ?

Moi, je n'ai rien dit. J'avais honte. Je suis le seul à avoir écrit une poésie.

Le lendemain, monsieur Languepin a sorti nos cahiers de classe de son cartable. J'ai vu le mien dessus. Mon cœur s'est mis à battre très fort.

– J'ai lu vos rédactions, a dit le maître. Vous faites beaucoup trop de fautes ! Parfois, on ne comprend même pas ce que vous avez écrit. Mais il y en a qui m'ont fait de jolies choses. Tristan, par exemple…

Je suis devenu tout chaud comme si j'avais de la fièvre et monsieur Languepin a lu ma poésie. Il l'a lue très bien, avec le ton. Tout le monde a dit que c'était super beau.

– Tristan a raison, a dit monsieur Languepin. Noël, c'est comme les guerres quand elles s'arrêtent. Je sais que vous jouez beaucoup à la guerre dans la cour, et que vous vous bagarrez. Essayez de penser un peu plus à la signification de Noël…

Ça m'embêtait ce qu'il disait. Moi aussi, je joue à la guerre. Mais ce n'est pas la vraie guerre.

Pourquoi les grandes personnes ne voient pas la différence ?

Le dernier cahier de la pile, c'était celui d'Olivier. Olivier est souvent le dernier. Le maître dit qu'il va redoubler s'il continue.

– Tu te fiches du monde, Olivier? Qu'est-ce que c'est, ce travail?

Monsieur Languepin montrait le cahier. Olivier avait écrit une seule phrase toute petite. J'ai plissé les yeux pour pouvoir lire. Il avait écrit: *Noël, c'est rien.*

– Tu vas rester à la récréation pour me refaire ta rédaction, a grondé monsieur Languepin.

Et Olivier pleurait. Pourtant, on le dispute souvent et d'habitude, il ne pleure pas.

Je ne l'aime pas, Olivier. Mais je trouve qu'il n'a pas de chance. Je me demande pourquoi il a écrit que Noël, c'est rien. Dans la cour, je n'arrivais pas à jouer avec ma bande. Ça me trottait dans la tête. Je pensais qu'Olivier ne doit pas avoir chaud avec son K-way.

– Mais qu'est-ce que tu as? m'a demandé Karine.

Je lui ai parlé d'Olivier. Elle le déteste. Elle a trouvé que c'était bien fait pour lui.

Mais je lui ai répondu :

– Peut-être qu'il est très pauvre, Olivier ? Et il n'aura pas de cadeaux pour Noël. C'est pour ça qu'il a écrit : « Noël, c'est rien. » C'est pour se venger contre Noël.

Andrès était d'accord avec moi. J'ai dit :

– On va lui acheter un cadeau de Noël.

– Tu n'es pas un peu fou ! a crié ma sœur. Il nous tape dessus à la récré et il t'a volé ton panda !

Mais moi, quand j'ai mon idée, je ne change pas :

– On va lui acheter le revolver avec le silencieux.

– À vingt euros ! s'est écrié Andrès en faisant ses grands yeux.

On a mis tout notre argent ensemble. Moi, j'avais mes deux euros d'argent de poche. Karine a donné un euro cinquante. Andrès dépense toujours son argent. Alors, il n'a rien. Didier est riche. Il a donné quatre euros. Tous ceux de la bande ont apporté quelque chose. Mais c'est des petits. Ils perdaient leur argent ou ils l'oubliaient à la maison. À la fin de la semaine, on avait 17,20 euros. Mais il nous manquait toujours de l'argent pour le revolver avec le silencieux, et la fin du trimestre se rapprochait.

Tous les soirs, on passait devant le *Crocodile bleu* pour surveiller notre revolver avec le silencieux. On imitait la tête d'Olivier quand il verrait son cadeau. C'était Andrès qui le faisait le mieux. Mais il nous fallait encore 2,80 euros. On n'allait pas les voler, quand même !

Et puis, un soir, comme on était devant la vitrine du *Crocodile bleu*, on a entendu quelqu'un qui disait dans notre dos :

– Super, ce revolver !

On s'est retournés. C'était Pas-de-Chance, notre voisin.

– On voudrait l'acheter, a dit Karine.

– Mais il nous manque 2,80 euros, a dit Andrès.

– Et il sera pour vous trois, ce revolver ? a demandé Pas-de-Chance.

Alors, je ne sais pas pourquoi, mais je lui ai raconté toutes nos affaires. Les bandes, les épreuves, le panda, Nathalie qui n'est plus ma fiancée, ma poésie de Noël et Olivier. Pas-de-Chance me posait plein de questions. D'habitude, les grandes personnes n'écoutent pas tellement quand on leur raconte nos histoires d'école, mais lui, on voyait que ça l'intéressait. Il a dit :

– Venez dans le magasin, on se gèle dans la rue.

Il a demandé le revolver avec le silencieux. La dame du *Crocodile bleu* l'a sorti de la vitrine. Pas-de-Chance l'a pris et il s'est tourné vers moi. Il a fait :

– Pan! T'es mort!

On a ri et la dame aussi. On a mis l'enveloppe avec l'argent sur le comptoir. Il y avait plein de pièces de vingt et de cinquante. Mais la dame du *Crocodile bleu* répétait :

– Ça ne fait rien. Pensez, les enfants, ça me connaît !

Pas-de-Chance a ajouté les 2 euros et les 80 centimes.

– Le compte est bon ! a dit la dame du *Crocodile bleu*. Je vais vous faire un beau paquet.

Et maintenant, on a notre cadeau pour Olivier. Je l'ai caché sous mon lit.

– On l'a, notre secret, m'a dit Andrès à la récré.

Chapitre huit
Ma pièce de théâtre

Le lendemain, à l'école, monsieur Languepin nous a dit :

– Pour la fête de Noël, nous allons monter une pièce de théâtre.

Tout le monde a fait « ouais ! ». Nathalie a dit qu'elle avait vu une pièce de théâtre qui s'appelait *L'Avare*. C'était l'histoire d'un monsieur qui se faisait voler son argent.

– Ah oui, je l'ai vue, a fait Didier, c'était avec Louis de Funès.

– Non, a dit Nathalie, c'était pas avec Louis de Funès ! Tu l'as même pas vue !

Monsieur Languepin a tapé sur le bureau avec une règle. Il a crié :

– Un peu de silence ! Vous avez mangé de la graine de perroquet, ce matin ?

Alors, il nous a expliqué son plan. On devait inventer la pièce et, d'abord, il fallait trouver une bonne idée.

– Chacun de votre côté, vous allez y réfléchir. Lundi, vous écrirez votre idée sur une feuille. On lira toutes les idées et on votera pour choisir la meilleure.

Ça, c'était vraiment super.

J'espère qu'on va voter pour mon idée. Ce qui m'embête, c'est que pour le moment, je n'en ai pas. Karine m'a dit que j'allais faire une pièce de théâtre formidable parce que, quand on est bon pour la poésie, on est bon aussi pour le théâtre. Je ne sais pas si c'est vrai. Enfin, pour le moment, je n'ai encore rien trouvé.

– Tu pourrais faire une histoire des *Incorruptibles*, m'a dit Andrès.

– Ou une histoire que c'est une princesse, m'a dit Karine, et personne ne le sait parce qu'elle est habillée en servante et sa marâtre lui tape dessus et le bûcheron…

J'ai haussé les épaules :

– C'est des histoires de bébé !

J'ai mis ma tête entre mes poings. C'est comme ça que je trouve toutes mes idées. J'ai dit :

– Laissez-moi tranquille ! Je réfléchis.

Karine et Andrès sont allés au salon et ils ont allumé la télé pour jouer au jeu de la publicité. C'est très bien comme jeu. On cherche des émissions de publicité sur toutes les chaînes. Quand on en trouve une (on en trouve toujours), c'est celui qui dit le plus vite ce que c'est comme publicité qui a gagné. Par exemple, dès qu'on voit des enfants qui jouent avec le bateau des pirates, on crie :

– Playmobil, en avant les histoires !

Je suis très bon à ce jeu, mais là, il fallait que je réfléchisse.

Le lundi matin, il n'y avait pas un bruit dans notre classe. Tout le monde écrivait son idée. Moi, j'ai écrit la mienne :

C'est l'histoire d'une armoire hantée. La nuit, elle fait des bruits bizarres et l'armoire est juste dans la chambre de deux enfants. Les enfants croivent que dedans il y a l'ogre Piéhoc et la sorcière Baba-Gaga qui est toute en squelette.

(Piéhoc et Baba-Gaga, c'étaient des noms que j'avais trouvés dans un livre trop marrant.)

Je n'ai pas eu le temps d'en écrire plus. Didier ramassait déjà nos feuilles. Le maître a lu toutes les idées mais je n'arrivais pas à écouter parce que j'attendais mon tour. Quand monsieur Languepin a lu mon idée, je suis devenu tout rouge. Ça me fait toujours ça. C'est embêtant parce que tout le monde sait que c'est moi.

– On n'écrit pas que les enfants *croivent*, a dit monsieur Languepin, mais que les enfants *croient*. C'est… une idée… hmm… curieuse.

Monsieur Languepin a encore lu deux idées et on a voté. C'était interdit de voter pour son idée. Alors, j'ai voté pour la dernière, « Le chien inspecteur », parce que j'avais oublié les autres. Et je crois que tout le monde a fait comme moi, parce que c'est la dernière idée qui a eu le plus de voix.

– Bien, a dit monsieur Languepin, vous êtes d'accord pour qu'on écrive une pièce de théâtre sur ce chien qui est inspecteur de police ?

C'était l'idée de Didier. Après, j'ai su qu'il avait tout copié dans un livre qui s'appelle *Inspecteur Toutou*. Évidemment, j'étais triste qu'on n'ait pas pris mon idée. Mais je suis bon en poésie.

– Tu es bon aussi en théâtre, a crié ma sœur, à la récré.

Elle était en colère parce que les autres n'avaient pas voté pour moi. Elle est bizarre, Karine.

– Pourquoi on ne ferait pas ta pièce ? m'a dit Andrès. On la préparerait en secret !

– Oui, mais il faudrait rassembler notre bande secrète.

Ma bande est un peu dispersée en ce moment. On ne joue plus aux généraux et aux soldats. Monsieur Languepin n'aime pas la bagarre et c'est lui qui est de garde dans la cour, cette semaine. Alors, on joue à la tapette. C'est très bien comme jeu. Ça se joue avec des images de la Coupe du Monde ou d'autres. On les met par terre et il faut les retourner en tapant dessus avec la main. On dit qu'on fait la retournette, et quand on les retourne deux fois, c'est la double retournette. On peut faire la double retournette avec mouillette, en se léchant la main avant de taper, mais quand on ne veut pas de mouillette, il faut dire « double retournette sans mouillette ». Bon, c'est bien comme jeu, mais c'est un peu long à expliquer.

Finalement, on a décidé qu'on ferait ma pièce de théâtre pendant les récrés avec tous ceux qui voudraient. Karine fera la fille et Andrès le garçon. On a pris Valérie-Anne pour Baba-Gaga et Antonio pour Piéhoc. Il y a encore un chien, une concierge, un agent de police et un bandit. Tous les CP voulaient un rôle. J'ai été obligé d'en inventer qui n'étaient même pas dans ma pièce : des enfants, prisonniers de Baba-Gaga, et un papa qui les cherche. Moi, je suis le metteur en scène.

– C'est quoi, un metteur en scène ? m'a demandé Karine.

J'ai répondu comme Papa :

– C'est celui qui met en scène.

Elle n'a qu'à pas poser tout le temps des questions.

Maintenant, on ne pense plus qu'au théâtre. Avec monsieur Languepin, on répète *Inspecteur Toutou*. J'ai le rôle du Loup. C'est long. J'ai vingt phrases à dire.

Pendant les récréations, on répète *Les Aventures de Baba-Gaga*. C'est le titre de ma pièce.

Dimanche, j'ai fabriqué des masques affreux dans du papier épais. J'ai dessiné une tête de Piéhoc avec un sourire plein de dents et une tête en squelette pour Baba-Gaga. Puis je les ai découpées.

Maman a mis une ficelle élastique comme il y en a aux masques du *Crocodile bleu*.

Le lundi matin, j'ai apporté mes masques à l'école et je les ai montrés aux CP.

Valérie-Anne a dit qu'elle ne voulait plus être Baba-Gaga parce qu'elle lui faisait peur, et Andrès voulait faire Piéhoc, mais Antonio a dit qu'il ne jouait plus s'il n'était pas Piéhoc. Alors, Karine a dit qu'elle voulait bien faire Baba-Gaga, mais qu'elle serait une sorcière gentille. J'ai crié :

– Ça n'existe même pas !

– D'abord, elle est moche, ta pièce, m'a dit Karine.

Je savais bien que j'étais bon seulement pour la poésie.

Chapitre neuf
Le revolver avec le silencieux

Hier, j'ai eu mon carnet du trimestre. J'ai 7,8 sur 10 de moyenne. J'ai 10 en expression écrite. C'est moi qui ai la meilleure note à cause de ma poésie. J'ai 6 en conduite. À cause de ce sale Jujube et de ses épreuves !

J'ai donné mon carnet à Maman pour qu'elle signe. Elle a lu à voix haute l'appréciation de monsieur Languepin : « Tristan est un enfant plein d'imagination mais il doit réviser ses tables de multiplication. »

– Et le 6 de conduite, m'a demandé Maman, c'est pour te récompenser de ton imagination ?

Mais elle a vu que ça me rendait triste. Alors, elle m'a embrassé et elle m'a dit dans l'oreille :

– Je suis très fière d'avoir un fils plein d'imagination.

Je l'aime beaucoup, ma maman. Je vais lui faire un poème. Je lui écrirai que je l'aime plus que Papa. Non, ce n'est pas sympa. Je lui mettrai que je l'aime telle-ment !

Olivier est le dernier de la classe. Il dit que ça lui est égal. Il est encore plus méchant que d'habitude. Il a déchiré notre plan secret. Ma sœur ne veut plus lui don-ner le revolver. Mais je vais lui donner quand même. J'ai apporté le paquet dans mon cartable. Ça faisait gros. À la récré, je l'ai mis sous mon blouson.

– Moi, je n'y vais pas, a dit Karine. Il me tape dessus.

Andrès, aussi, s'est dégonflé. J'étais tout seul pour aller le donner. Je me suis approché d'Olivier. Il se bagarrait avec Jujube. Ils se bagarrent tout le temps, ces deux-là. Mais Jujube s'est enfui. Il n'est pas si fort que ça. Sa ceinture de judo, elle doit être caca d'oie.

– Qu'est-ce que t'as, toi, à me regarder ? a crié Olivier. Tu veux que je te fasse bouffer ta poésie ?

Je n'ai rien trouvé à répondre. Mais comme je ne faisais pas attention, mon paquet a glissé sous le blouson. Il est tombé par terre.

– C'est quoi ?

– C'est… un cadeau. Pour toi.

– Pour moi ?

Il ne faisait pas du tout la tête contente qu'imitait Andrès. J'ai plutôt cru qu'il allait me taper. J'ai ramassé le paquet. Il était un peu sali parce qu'il était tombé dans une flaque. Je l'ai tendu à Olivier, j'avais le bras qui tremblait. Il a répété :

– C'est pour moi ?

– Oui.

Alors, il a changé de tête. Il a pris le paquet. Il n'osait pas l'ouvrir. J'ai dit :

– Vas-y.

Karine et Andrès s'étaient rapprochés.

Et puis Didier, et puis les petits du CP. On a aidé Olivier à ouvrir son paquet parce qu'il n'y arrivait pas.

– Il est cool !

– Montre !

Olivier l'a sorti de la boîte. Il a dit :

– C'est celui du *Crocodile bleu.*

– On joue avec ? a demandé un petit CP.

On a joué aux *Incorruptibles*. Olivier est resté avec nous, mais c'est juste pour une récré. Devinez qui faisait Frank Nitti ? C'était monsieur Languepin ! On se cachait derrière les arbres pour lui tirer dessus. Paw ! Paw ! Olivier, c'était Eliot Ness et moi, j'étais son adjoint. On se passait le revolver. Tout le monde l'a eu, à tour de rôle.

– C'était la plus belle récré de toute ma vie ! a dit Andrès.

Le soir, j'étais encore tout content. J'ai vraiment de la chance, moi, en ce moment. Je me frottais les mains comme fait mon papa quand il est joyeux. Et même, j'aimerais qu'il se les frotte plus souvent.

Maman est venue me dire bonne nuit dans mon lit, comme tous les soirs. J'ai posé mon livre par terre. Maman m'a embrassé et elle a éteint la lumière. Des fois, on se parle dans le noir, tous les deux.

– Maman ?

– Oui, mon bébé ?

– Un jour, j'avais du chagrin, je sais pas si tu te rappelles ? Je ne voulais pas te parler de mes affaires.

– Oui, mon grand. Et alors ?

– Et alors... Mes affaires vont très bien, maintenant !

Chapitre dix
Mon rôle de loup

Karine ne veut plus jouer aux *Incorruptibles* ni à la tapette. Elle passe son temps devant la glace à faire des mouvements de brasse sur la pointe des pieds parce qu'elle est la reine des poissons. C'est une invention de madame Zacharie, notre prof de gym. Elle va faire un ballet avec les CP pour la fête de Noël.

– Un ballet, c'est comme de la danse, mais en mieux, nous a dit Karine au dîner, et moi, je suis la reine des poissons.

On va finir par le savoir !

Les CE1 font la chorale. Ils chanteront :
Mon père avait dix canes, canes,
mon père avait dix canetons.

Ils nous cassent les oreilles avec leurs canetons depuis au moins six mois. Enfin, quinze jours.

Les CM1 préparent un poème de Prévert: *À la pêche à la baleine, je ne veux plus aller…*

Les CM2 feront une démonstration de judo. Jujube va encore crâner. Mais, en fait, j'ai remarqué que, si on le poussait dans le dos, il tombait comme tout le monde. Le judo, ça ne sert à rien.

Moi, je prépare mon rôle de loup. Maman me fait répéter. Elle prend le rôle de l'inspecteur Toutou. Elle me donne la réplique, comme on dit.

TOUTOU-MAMAN: *Et dites-moi ce qui vous amène?*

LE LOUP-MOI: *Eh bien, voilà: je cherche une petite fille.*

TOUTOU-MAMAN: *Votre fille, peut-être?*

LE LOUP-MOI: *Non, pas ma fille, une petite fille du village… Je voudrais jouer avec* *elle, me promener avec elle. Si vous saviez comme je l'aime, cette petite fille !**

Maman m'arrête souvent à ce moment :

– Tu parles trop vite. Il faut articuler. Autrement, dans le fond de la salle, ils n'entendront rien.

Alors, je pense qu'il va y avoir plein de gens et même la directrice, qu'on sera sur une estrade, que Karine me montrera du doigt en disant à ses copines : « C'est mon frère, le loup »... Et je sens que je deviens tout rouge.

– Allez, reprends, dit Maman. *Le plus simple, ce serait d'aller voir ses parents.* Tristan, j'ai dit : *Le plus simple, ce serait d'aller voir ses parents.*

– Heu... *Impossible, monsieur l'inspecteur.* Heu... *Ses parents ne m'aiment pas. Ils ont des préjugés.* Ils... Ils... heu...

* Extrait de *Inspecteur Toutou* de Pierre Gripari.

Je ne sais pas encore très bien la fin. Et puis je crois que je vais tout oublier, le jour de la fête. Je resterai sur l'estrade à faire « heu, heu », et la reine des poissons aura honte de moi. Ce sera affreux.

Pas-de-Chance m'a donné un conseil pour ne pas avoir peur, le jour de la fête :

– Moi, je donne des conférences et j'ai le trac. Avant de prendre la parole, je mâche du chewing-gum. Ça permet de se concentrer.

J'ai acheté un paquet de chewing-gums goût fraise et j'en ai donné la moitié à Karine parce qu'elle a peur aussi. Il faut dire que si j'étais à sa place de reine des poissons, je n'oserais même pas me montrer.

Elle a un costume complètement idiot. C'est un maillot de bain avec une queue de poisson en papier alu et une couronne avec des étoiles de mer en papier doré.

Je ne lui ai pas dit qu'elle était moche mais c'est la vérité.

Enfin, le jour de la fête est arrivé. Maman a mis nos déguisements dans des sacs en plastique. Sur le chemin, elle me faisait encore réciter mon rôle de loup.

– Après, *ils ont des préjugés*, Tristan ?

– Heu... *Ils sont un peu racistes. Je risque de me faire tuer.*

Karine a dit :

– Ma couronne, Maman, tu ne l'as pas oubliée ?

– Non, ma chérie. Mais qu'est-ce que tu as fait de ta barrette ?

Et catastrophe, la reine des poissons avait oublié sa barrette. Elle voulait retourner à la maison, mais on n'avait plus le temps.

– Je vais avoir des cheveux plein la figure, pleurait Karine. J'y verrai rien. Je me prendrai dans ma queue !

J'ai dit :

– On continue mon rôle de loup, Maman ?

Karine a dit :

– On n'a qu'à acheter une autre barrette, Maman !

Maman nous a répondu :

– Mâchez votre chewing-gum et concentrez-vous !

Karine est passée en premier. Il y avait plein de monde dans le préau. Les enfants étaient assis devant et les parents derrière. Les papas prenaient des photos. Tout le monde parlait. Ça faisait plein de bruit.

– Plus fort, la musique ! a crié quelqu'un.

– Chut, chut, ont dit les gens.

Madame Zacharie a fait signe à deux CP d'entrer sur l'estrade puis elle s'est cachée dans la coulisse. Andrès faisait un dauphin et Valérie-Anne était une sirène. C'était vraiment affreux comment ils dansaient. Valérie-Anne mettait tout le temps les bras autour de sa tête. On avait envie d'aller la chatouiller. Andrès sautait tout autour de la sirène. On croyait qu'il allait faire des bonds légers, des bonds de

dauphin, et, boum ! quand il retombait, toute l'estrade tremblait. Tout le monde riait, sauf la maman de Valérie-Anne qui avait l'air très fière. Les mamans sont comme ça.

À ce moment-là, misère de misère, la reine des poissons est entrée en faisant la brasse. Derrière elle, venaient des tas de petits poissons qui agitaient les bras, qui tournaient dans le mauvais sens, qui s'arrêtaient au milieu de l'estrade. Ils regardaient madame Zacharie dans la coulisse. Ils avaient tout oublié de ce qu'ils devaient faire. Je riais beaucoup jusqu'à ce que je pense que j'aurais l'air aussi bête qu'eux tout à l'heure. Heureusement, le ballet s'est terminé et tous les gens ont applaudi très fort.

– Ce qu'ils sont mignons, disait une dame.

– La petite reine était très gracieuse, disait une autre.

Maman a embrassé Karine :

– C'était très joli, ma chérie, mais tu aurais dû arrêter de mâcher ton chewing-gum.

– C'était pour la concentration.

Pendant les chansons idiotes des CE1, j'ai répété mon rôle de loup dans ma tête. Tout d'un coup, plus rien. Je ne me souvenais plus de rien !

– Maman !

– Chut, Tristan ! Il faut écouter les autres enfants.

– Mais Maman…

De toute façon, c'était trop tard pour réviser. Monsieur Languepin nous faisait signe d'aller nous déguiser. J'avais encore un espoir : une crise d'appendicite. Ça arrive que ça vous prenne d'un coup, mais c'est rare.

– Mets bien le ton, m'a dit Maman, et articule…

J'ai juste eu le temps d'enfiler mon déguisement de loup, et c'était déjà le début de la pièce. Didier faisait l'inspecteur Toutou et il était sur l'estrade. Je n'entendais rien de ce qu'il disait, mais j'ai entendu quelqu'un qui criait :

– Plus fort, l'inspecteur !

C'était celui qui avait crié : « Plus fort, la musique ! » Il devait être sourd.

– À toi, m'a dit monsieur Languepin.

J'ai sursauté :

– Hein ? Où ?

Mais le maître m'a poussé vers l'estrade en me répétant la première phrase de mon rôle. Je me suis avancé vers Didier et j'ai dit tout bas :

– Bonjour, vous êtes bien l'inspecteur Toutou ?

– Plus fort, le loup ! a crié le monsieur sourd.

Didier rigolait en me regardant. Depuis le début, il rigolait au milieu de l'estrade. Il a bafouillé :

– C'est moi. Heu…. entrez. C'est quoi, votre nom ?

Didier disait n'importe quoi ! La vraie question, c'était : « À qui ai-je l'honneur ? »

Je lui ai fait des yeux furieux et j'ai répondu très fort :

– Le loup, je suis monsieur le loup !

– Et alors, pourquoi… Heu, qu'est-ce que…

Je n'ai pas attendu qu'il finisse son bafouillage et j'ai continué très fort en articulant :

– Eh bien, voilà, je cherche une petite fille.

Didier me regardait, la bouche ouverte, stupide. Vraiment, on aurait cru qu'il n'avait jamais vu de loup ! Moi, j'ai continué mon rôle et je n'ai pas eu un seul trou, je n'ai pas fait un seul « heu ». Didier ne disait presque plus rien que des « Ah ? Heu... Oui... »

À la fin de la pièce, Maman est venue me prendre en photo dans mon costume de loup.

Je lui ai demandé :

– C'était bien ?

– Très bien, mon grand. Mais tu aurais dû laisser un petit peu parler l'autre garçon.

Un monsieur est passé près de nous.

– Bravo, le loup ! a-t-il dit en me voyant. On l'entendait, celui-là, au moins.

C'était le monsieur sourd.

Sur le chemin du retour, Maman nous a demandé :

– Est-ce que vous pensez que vous êtes en vacances ?

J'ai fait : « cool ! » Mais je ne pensais pas encore aux vacances. Je pensais à Andrès qui part au Portugal, à Jujube qui va à la neige, à Didier qui prendra l'avion pour aller voir son père aux États-Unis. Je pensais à monsieur Languepin, à mon rôle de loup, aux bandes, aux trois épreuves, à ma pièce de théâtre, à la tapette, à ma poésie de Noël, au revolver avec le silencieux, au 6 de conduite, à Nathalie. Je pensais à Olivier qui va rester à Paris. Je pensais au CE2. Les vacances, j'y penserai demain.